哇哦！中国古代科技了不起

机械与制造

白 欣 主编
王洪鹏 著
牛猫小分队 绘

大连理工大学出版社

主编简介：白欣

白欣，首都师范大学初等教育学院教授，博士生导师，主要从事科技史与科学教育、博物馆教育与综合实践活动研究。入选青年燕京学者。主持国家自然科学基金三项，发表学术论文和科普文章200多篇。主编或出版科普图书40多本。

作者简介：王洪鹏

王洪鹏，中国科技馆研究员，中国青少年科技教育工作者协会科学传播工作委员会副秘书长。

绘者简介：牛猫小分队

牛猫，本名苏岚岚，本科毕业于中国美术学院，硕士毕业于法国比利牛斯高等艺术学院。"谢耳朵漫画"联合创始人，是童书作者也是绘者。擅长设计，喜欢画画，喜欢编段子，喜欢不断突破自己去创新。开创了用四格漫画组成"小剧场"来传播科学知识的形式，代表作品有《有本事来吃我呀》和《动物大爆炸》等。

牛猫小分队的另一位核心成员叫赏鉴，是本书的漫画主笔，他画的漫画在全网有5 000万以上的阅读量。

写在前面的话

亲爱的小读者们，

当你们翻开这套"哇哦！中国古代科技了不起"的那一刻，就像推开了一扇通往古老智慧宝库的大门。在这里，我们将一同踏上一段奇妙旅程，穿越时空隧道，探寻那些曾经照亮人类文明进程的科技之光。

在历史的长河中，中国古代科学技术以其独特的魅力和深远的影响，成为人类文明的重要组成部分。造纸术、印刷术、火药、指南针，这些耳熟能详的伟大发明不仅推动了中国科技的发展，也对世界文明产生了不可估量的影响。

我们精心挑选了五大领域的经典科技成就，通过科学漫画的形式，将复杂深奥的科学原理转化为生动有趣的故事情节，让你们能轻松愉快地走进古代科技的世界。从圭表测量日影的精准，到漏刻计时的巧妙；从被中香炉的神奇，到纺织工具的精妙；从都江堰的壮丽，到弓形拱桥的跨越；从倒灌壶的奇妙，到印刷术的革新……每一个章节都充满了惊喜和发现，等待着你们去探索和体验。

写在前面的话

　　中国古代科学技术的许多成果，如农业技术、水利工程等，都是通过实践得出的。书中特别设计了动手实验环节，配置了丰富的材料包，大家通过亲自动手操作，不仅可以再现伟大的发明，还能培养动手能力，提升解决实际问题的能力。中国古代科学技术往往涉及多个学科，如数学、物理、化学等，这种跨学科的特点也为大家提供了一个综合性的学习平台，可以培养综合思维能力。中国古代科学技术的发展过程，体现了严谨的科学态度和科学方法。阅读书中的内容，可以树立正确的科学观，潜移默化地培养批判性思维和逻辑推理能力。

　　我们希望通过这套书，激发你们对科学的兴趣，培养你们的科学思维，让你们在享受阅读乐趣的同时，感受到中国古代科技的独特魅力和深远影响。

　　同时，我们也希望这套书能够成为你们了解祖国悠久历史和灿烂文化的窗口，更加深刻地感受到中华民族的伟大。我们相信，在未来的日子里，你们一定会成为能够担当起民族复兴重任的时代新人，以智慧为舵，勇气为帆，乘风破浪，开创更加美好的未来。

　　让我们携手共进，一起探索中国古代科技的奥秘吧！愿你们在未来的道路上，不断前行、不断超越，成为那个最了不起的自己！

　　祝愿你们阅读愉快！

白 欣

2024 年 9 月 30 日

扫 码 观 看
时 光 通 识 课

欢迎小朋友和我一起阅读呀！

我叫控制力矩陀螺，不是大馒头哦。

目 录

传说，上古神兽白泽，通晓世间万物，所到之处，所言之事，都能引起惊叹，孩童们不约而同地喊出"哇哦"。

"哇哦"之音逐渐在白泽身边凝集，幻化成一只灵动可爱的小神兽，唤作"哇哦"！

　　中国空间站，又称天宫空间站，是由一段核心舱及两段实验舱以 T 字构型布局。"天和"核心舱是中国空间站的核心部件，全长16.6米，最大直径4.2米，重22.5吨，设计在轨使用寿命10～15年，是迄今为止我国发射的最大航天器，标志着我国载人航天事业进入长期在轨飞行阶段。

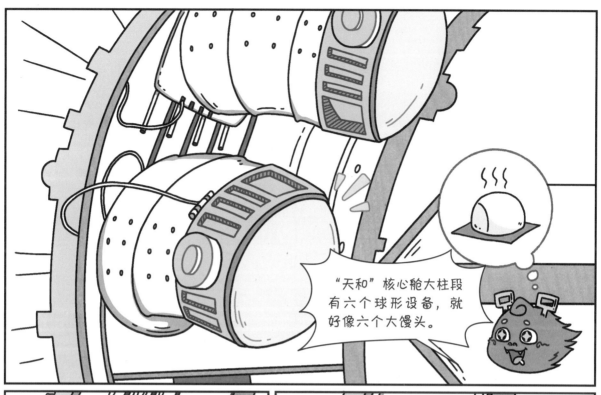

我叫哇哦。咱们是老朋友了。2022年3月23日下午，神舟十三号乘组航天员翟志刚、王亚平、叶光富在中国空间站为全国青少年进行太空授课。我在观看"天宫课堂"的时候，就认识你们了。

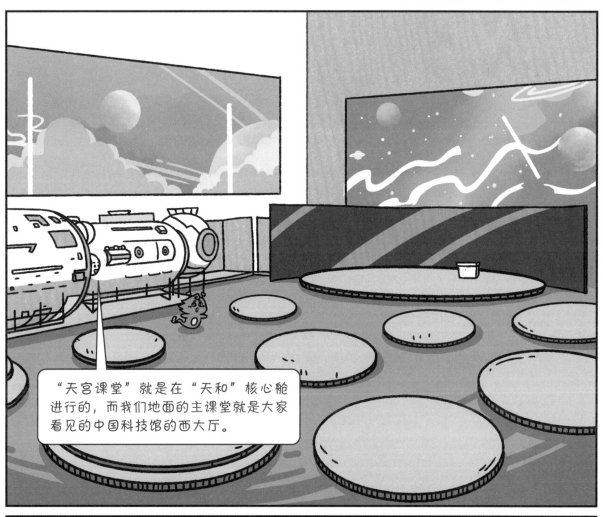

"天宫课堂"就是在"天和"核心舱进行的,而我们地面的主课堂就是大家看见的中国科技馆的西大厅。

2022 年底,中国自己的空间站——"中国空间站"全面建成。中国空间站轨道高度为 400~450 千米,整体处在一个微重力环境中。

400~450 千米

通过观看"天宫课堂"，我发现，航天员想要维持正立的状态还比较困难。我们的空间站也有这个困难吗？

我们的空间站也面临相同的问题，但各项对接任务都要求空间站必须保持稳定的姿态。

那么，空间站是如何进行姿态控制的呢？

不好意思，要自我表扬了。这主要是我们——控制力矩陀螺，在发挥作用。

啪！

控制力矩陀螺与"天宫课堂"的"太空转身"实验一样，都利用了角动量守恒原理，以转动的惯性来调整姿态。

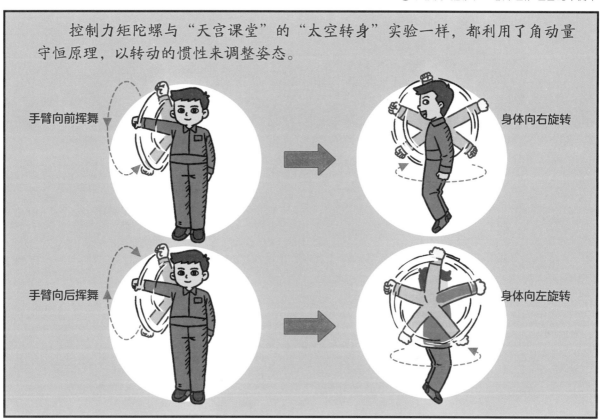

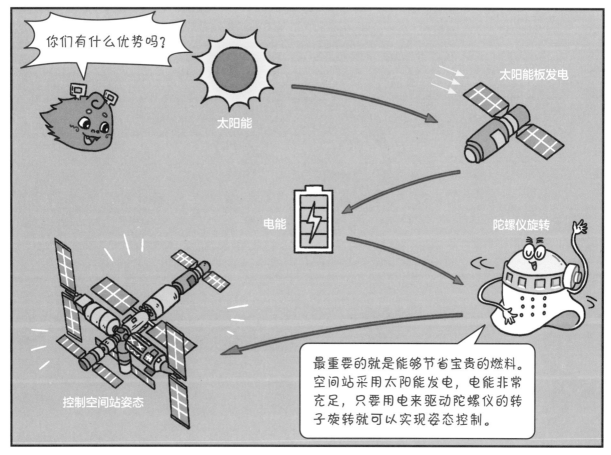

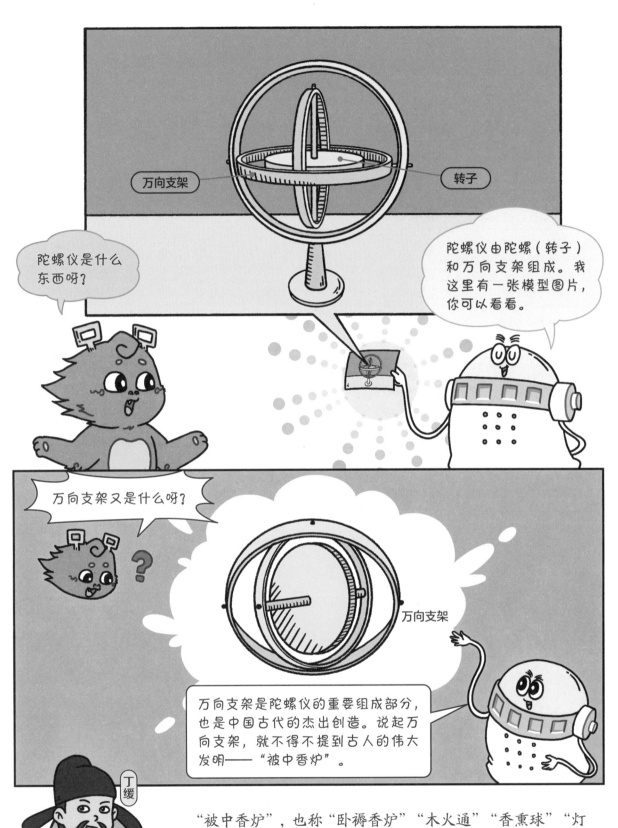

万向支架　　　转子

陀螺仪是什么东西呀？

陀螺仪由陀螺（转子）和万向支架组成。我这里有一张模型图片，你可以看看。

万向支架又是什么呀？

万向支架

万向支架是陀螺仪的重要组成部分，也是中国古代的杰出创造。说起万向支架，就不得不提到古人的伟大发明——"被中香炉"。

丁缓

"被中香炉"，也称"卧褥香炉""木火通""香熏球""灯球"等，早已有之，但后失传。西汉的能工巧匠丁缓（公元前140—前80）重新制作了"被中香炉"。

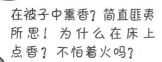

在被子中熏香？简直匪夷所思！为什么在床上点香？不怕着火吗？

"被中香炉"的外壳由两个半球合成，壳上镂刻着花纹，花纹间有空隙，可以散发香气。

"被中香炉"的外层无论怎样旋转，内层的炉子总是保持水平状态。真是很神奇！这是怎么做到的呢？

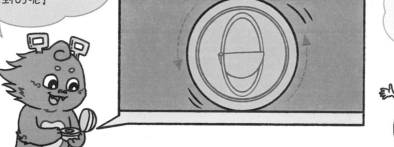

其中的关键就是万向支架，也称作"常平架"。

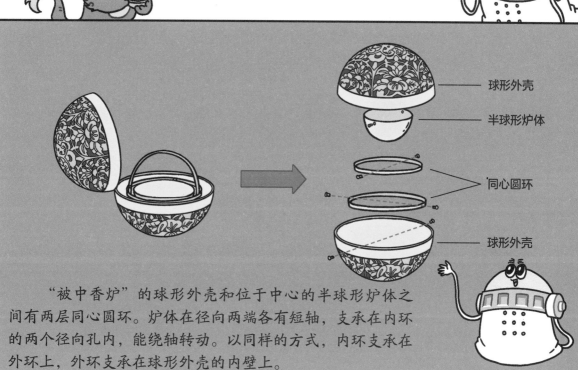

球形外壳

半球形炉体

同心圆环

球形外壳

"被中香炉"的球形外壳和位于中心的半球形炉体之间有两层同心圆环。炉体在径向两端各有短轴，支承在内环的两个径向孔内，能绕轴转动。以同样的方式，内环支承在外环上，外环支承在球形外壳的内壁上。

"被中香炉"的记载，最早见于《西京杂记》："长安巧工丁缓者……又作卧褥香炉，一名被中香炉。本出房风，其法后绝，至缓始更为之。为机环，转运四周，而炉体常平，可置之被褥，故以为名。"

1963 年，西安沙坡村的唐代遗址中出土了银质"被中香炉"。考古专家研究了它的构造，确实与《西京杂记》中的记述一样。

看来，"被中香炉"的结构设计与现在陀螺仪中"万向支架"的原理非常相似。外国人什么时间提出了类似设计？

在欧洲，1500 年才由意大利科学家和画家达·芬奇提出类似设计，比我国晚了 1 600 多年。

达·芬奇

我们早就有了！

陀螺仪是我们中国人发明的吗？

两千多年以前，中国人虽然发明了"被中香炉"，但是并没有将陀螺放在万向支架上，与发明陀螺仪失之交臂。

万向支架最早是谁设计的？

卡丹

意大利学者卡丹最早给出了一种万向支架的设计。所以西方人把万向支架叫作"卡丹吊环""卡丹环"。

在日常生活中，陀螺仪还有什么用处吗？

当我们用手机拍照、看视频时，把手机横屏，你会发现，画面会自动切换成横向的。其实，就是因为手机里内置了陀螺仪装置，所以会检测出手机哪一面朝上。

陀螺仪晶片

动手实验 制作被中香炉

把被中香炉放在被窝里，它肚子里的炉子都是水平的，太厉害了，我也能有这样一个宝贝吗？

当然可以了，咱们一起动手做一个吧。

实验材料 | 材料包中被中香炉卡纸、快干胶水、剪刀、双面胶、细线、超轻黏土。

实验步骤

第1步

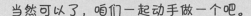

小球　　中圆环　　大球

将卡纸上的素材取下，分类摆好。如图所示进行拼插，就得到了大、小"纸球"的两半。

第2步

用超轻黏土制作一个简易炉体放置于小半球内。然后，将两个小半球分别粘在带凸起的小圆环的两侧，对齐半球的每一条线。再将三个中圆环如图所示粘在一起。

简易炉体

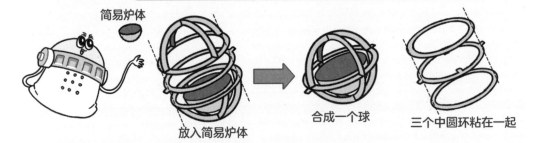

放入简易炉体　　　合成一个球　　　三个中圆环粘在一起

最后，剪取两小段细线，用胶水粘到中圆环内凸起处，再将细线的另一端与刚才制作好的小纸球外圈凸起粘接在一起。用同样的方式将大圆环粘接在中圆环外，再将大纸球的两半分别粘在大圆环的两侧，被中香炉就完成了。

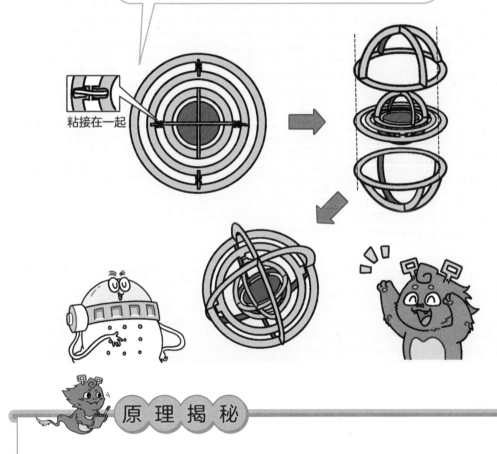

粘接在一起

原 理 揭 秘

　　被中香炉的球形外壳和位于中心的半球形炉体之间有两层同心圆环。炉体在径向两端各有短轴，支承在内环的两个径向孔内，能自由转动。以同样的方式，内环支承在外环上，外环支承在球形外壳的内壁上。炉体、内环、外环和外壳内壁的支承轴线依次互相垂直，而且炉体本身具有重量。因此，无论香炉如何滚动，炉体在重力作用下总能保持水平状态。

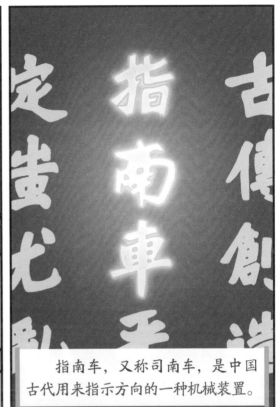

指南车，又称司南车，是中国古代用来指示方向的一种机械装置。

传说在距今约 4 600 年前，黄帝部族联合炎帝部族，与蚩尤部族进行了一场大战。黄帝和炎帝虽然组成联军，但依然不是蚩尤的对手。直到黄帝把我发明出来，指示方向。在我的帮助下，黄帝终于把蚩尤部族打败。

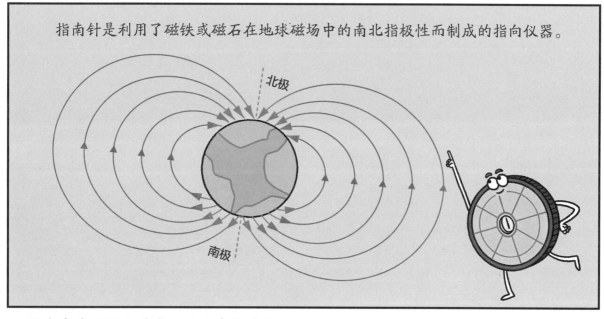

指南针是利用了磁铁或磁石在地球磁场中的南北指极性而制成的指向仪器。

北极

南极

指南车是利用了差速原理和齿轮系统。

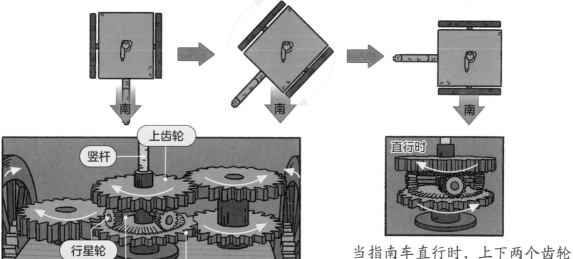

上齿轮

竖杆

行星轮

行星架

下齿轮

直行时

当指南车直行时，上下两个齿轮转速相等，行星轮只做自转，行星架不动，竖杆也不动。

转弯时

慢

快

当指南车转弯时，左右轮的转速不一样，上下两齿轮的转速也就有了差异，行星轮除了自转外还会公转，并使行星架转动，从而使竖杆和其顶部的木人转动。

我明白了。当车辆转弯时，这些机构可以带动木人向车辆转弯的相反方向转动，使木人的手臂始终保持指南。

哇哦真聪明。

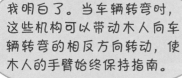

由于存在制造精度、道路质量等复杂因素，指南车在不平整的道路上行进时会不断累积误差，难以长时间准确地指示方向。因此，指南车并没有在生产生活中被广泛应用。它主要作为皇帝御驾出行的一种仪式用车，用以增加皇帝的威仪。

我再带你欣赏一下皇帝出行的另外一种仪式用车——记里鼓车。这种车可以记录走过的路程，类似我们现在的出租车。

出租车上的计程装置，最早出现在中国的记里鼓车上。

1 里

我国汉代刘歆的《西京杂记》就有记道车的文字记载："汉朝舆驾祠甘泉汾阳……记道车驾四，中道。"

记里鼓车是中国古代利用齿轮传动来计算路程的自动装置。有关记里鼓车的文字记载最早见于《晋书·舆服志》："记里鼓车，驾四。形制如司南。其中有木人执槌向鼓，行一里则打一槌。"

这个问题提得真好！中国古代车辆的设计和制作大多以木材为主。记里鼓车的车辕、车轮、车厢、内部齿轮都是木质的，难以长时间保存。因此，我们目前还没有出土记里鼓车的文物。

木材易于获得、加工方便，并且具有强度大、硬度高、弹性好、密度小、不易变形、光滑美观等特点。因此，古代常被用来制作车辆。

我看明清之后的文献中，没有记载记里鼓车的。这又是什么原因？

首先记里鼓车主要作为皇帝出行时的仪仗，并没有实际的用途。

其次，记里鼓车比较笨重，携带和使用不便。所以，一经战乱，记里鼓车也失传了。明清以后，记里鼓车在文献中就不见踪迹了。

1953年12月1日，我国发行了第四组《伟大的祖国——古代发明》特种邮票，全套四枚。邮票画面选取了我国古代司南、地动仪、记里鼓车和浑仪等四项发明成果。

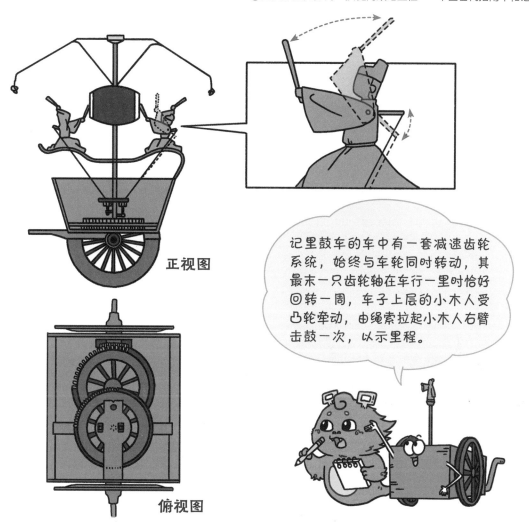

正视图

俯视图

记里鼓车的车中有一套减速齿轮系统，始终与车轮同时转动，其最末一只齿轮轴在车行一里时恰好回转一周，车子上层的小木人受凸轮牵动，由绳索拉起小木人右臂击鼓一次，以示里程。

记里鼓车真了不起！我要告诉更多的小伙伴！

那真是太好啦！你可以考他们一个谜语"木人执槌向鼓，行一里打一槌"，打一中国古代发明。

哈哈，太有意思啦，我回去就考一下小伙伴们！

动手实验 指南车制作大挑战

在大雾弥漫的天气里，你可以帮我指路吗？

当然可以了，咱们一起动手做一个我的分身吧。

扫码观看科学实验手工指导课

实验材料 ｜ 材料包中的指南车模切木板 2、3。

实 验 步 骤

第 1 步

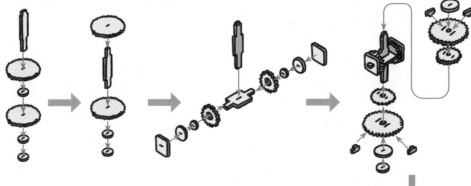

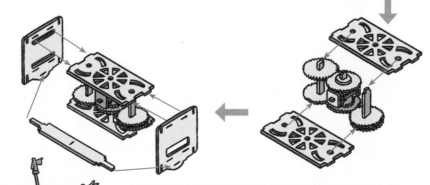

将材料包中的所有零件取下，按照图示的步骤进行拼装，就可以得到一辆指南车了。

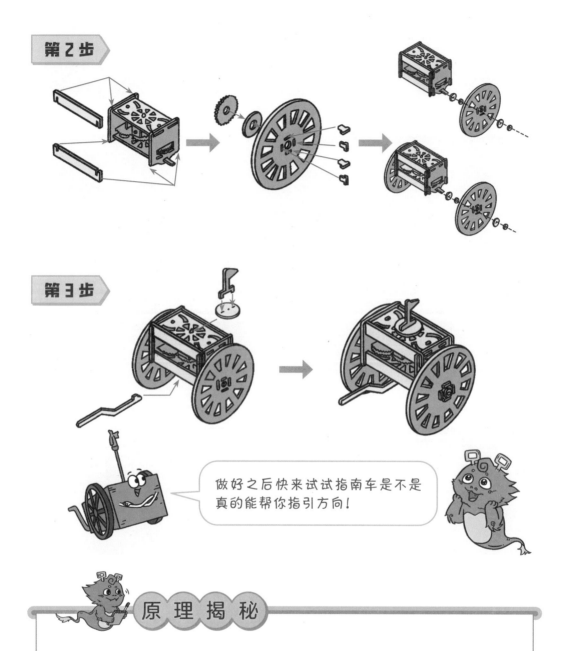

第2步

第3步

做好之后快来试试指南车是不是真的能帮你指引方向！

原 理 揭 秘

　　指南车是一种能够指示方向的车辆。它依靠车内木制齿轮转动，来传递转向时两个车轮的差动，再带动车上的指向木人转动，木人转动方向与车转向的方向相反、角度相同，使木人的手始终指向指南车出发时设置木人指示的方向，一般设置指向南方。

3 锦衣霓裳谁来织——中国传统纺织工具

中国科学技术馆华夏之光展厅中，游客正在观看丝绸之路图，哇哦也来到了这里。

1877年，德国地质地理学家李希霍芬把从公元前114年至公元127年，中国与中亚、中国与印度间的西域交通道路命名为"丝绸之路"，中国也被称为"丝绸的故乡"。

丝绸之路

李希霍芬

中国为什么被称为"丝绸的故乡"？

我叫百子衣。你把我穿身上吧，我带你了解中国的纺织之路！

中国

中国的丝绸早在2 000多年前的汉代就已经名扬世界。在经由"丝绸之路"这条路线进行的贸易中，中国输出的商品以丝绸最具代表性。因此，中国被称为"丝绸的故乡"。

中国是世界上最早发明养蚕缫丝的国家。传说最早发明养蚕缫丝的是轩辕黄帝的妃子西陵氏，即嫘（léi）祖。

中国的能工巧匠用勤劳的双手创造了丝绸，形成了灿烂的丝绸文化。那么，这些美丽的丝绸是如何织造的呢？

中国科学技术馆华夏之光展厅中，陈列着一些手摇纺车、水转大纺车，还有织造布的腰机、斜织机和用于织锦的大、小提花机，以及风靡世界的中国特有织物丝绸，可以让大家领略中国古代纺织的风采与神韵。

手摇纺车

水转大纺车

腰机

斜织机

织物

……

砰！

下面，我带你一探究竟。

百子衣，这件展品叫什么？它的水轮在流水的冲击下就可以快速运转，真神奇。

这件展品是水转大纺车的模型，主要用于加工麻。水转大纺车发明于南宋后期，元代盛行于中原地区，是当时世界上比较先进的纺麻机械。

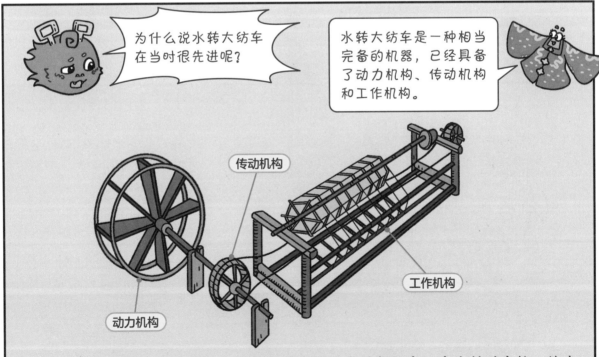

为什么说水转大纺车在当时很先进呢？

水转大纺车是一种相当完备的机器，已经具备了动力机构、传动机构和工作机构。

传动机构

工作机构

动力机构

它的动力机构就是水轮，工作机构由锭子和纱框组成。水力转动水轮，输出动力，通过传动机构，使锭子和纱框转动，完成加捻和卷绕纱条的工作。

水转大纺车的特点是用水力驱动。水转大纺车已经具备了马克思所说的"发达的机器"所必备的三个部分——发动机、传动机构和工具机。水转大纺车的发动机就是水轮。

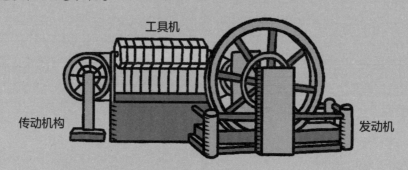

工具机

传动机构

发动机

中国古代有文献记载水转大纺车吗？

1313年，元代著名农学家王祯在《农书》中翔实记载了"水转大纺车"的结构、性能及当时的使用情况，并且附上了这种机器的简要图样。

400 多年后

理查·阿克莱

1769 年，英国人理查·阿克莱才首次制出水车纺机，并建立了欧洲第一座水力纺织工厂，比王祯在《农书》中记载的水转大纺车晚了 400 多年。

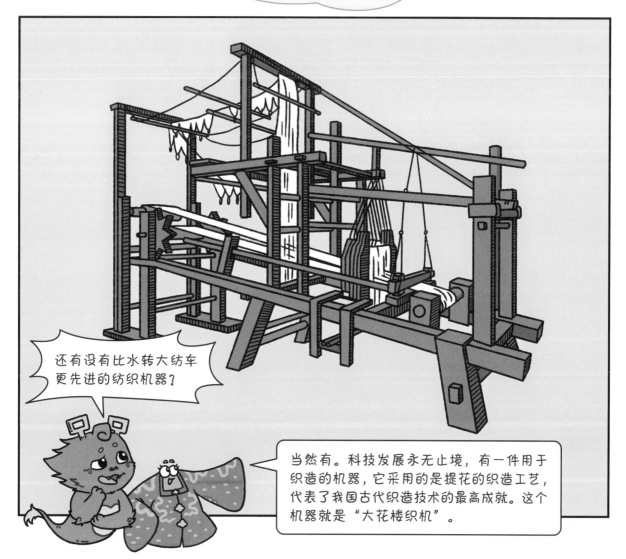

还有没有比水转大纺车更先进的纺织机器？

当然有。科技发展永无止境，有一件用于织造的机器，它采用的是提花的织造工艺，代表了我国古代织造技术的最高成就。这个机器就是"大花楼织机"。

为什么叫"大花楼织机"？

因为它比一般的织机高出一个提花装置，形状好似"高楼"，所以被命名为"大花楼织机"。

太幸运了，工作人员正在"大花楼织机"上表演织布。这个过程需要两个人相互配合是吗？

是的。织造时，需要上下两人相互配合才能进行。其中一个人是织工，坐在机器下方的一侧，另一个人坐在机器上方高高的花楼上，称为挽花工。

你听，挽花工嘴里好像念念有词？

4％！……

是的。透过这架"大花楼织机"，我们仿佛可以看见几千年前坐在上面的挽花工，口唱花本（"挑花结本"的合称）程序，手提拉花束综，坐在下面的织工在一来一往地穿梭织造的场景。

挽花工和织工在织造过程中都是机械地执行命令，他们的任务就是识别花本和按照程序完成织造动作。我这样理解对吗？

你的理解完全正确。说起来，大花楼织机和计算机之间，还真有些血缘关系。

是不是大花楼织机与现代电子计算机都和二进制有密切关系？大花楼织机可以看作计算机的鼻祖吧？

　　大花楼织机运用的是"二进制"思维。人们将织机经纬线的上下交叠翻译为两种代码。经线在纬线上，用1代表；纬线在经线上，用0代表；那么，整幅织物的图案就会变成一幅只由0和1组成的图像。

花本上也有类似经纬线的线吗？

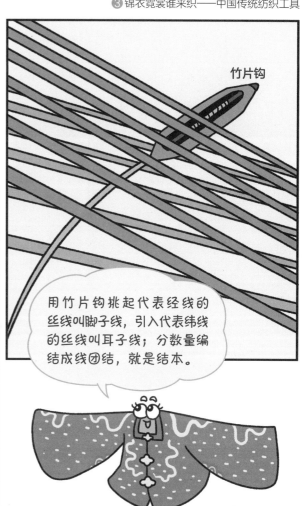

竹片钩

用竹片钩挑起代表经线的丝线叫脚子线，引入代表纬线的丝线叫耳子线；分数量编结成线团结，就是结本。

结本

按照设计好的图案，应该很容易织出精美的花纹吧？

要想将设计好的图案，通过织机织出，并没有想象中的那么简单。

它需要纬线在进行不同排列组合的同时，经线也有规律地上下穿梭，只有这样才能织出像我这么好看的丝绸。

我国的提花工艺对西方有什么影响？

这种提花工艺经丝绸之路传入西方后，18世纪，法国机械师布乔以穿孔纸带代替花本，构想出自动化的提花机。

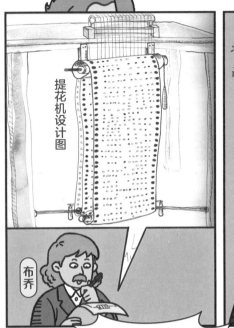

提花机设计图

布乔

1801年，法国人贾卡发明了可自动运行的提花机，将花本简化成穿孔提花纹板，编织的速度提升了25倍，而他的名字Jacquard也被赋予了"提花"的意思。

贾卡

那对计算机的发明有什么影响呢？

再后来，英国数学家查尔斯·巴贝奇从贾卡提花机得到启发，将这一自动化方法用于计算，发明了早期的纯机械计算机——差分机。

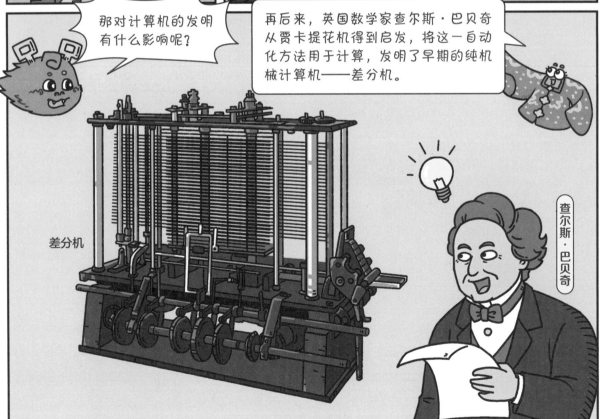

差分机

查尔斯·巴贝奇

真是想不到，我们现在视为尖端科技的计算机，竟与大花楼织机血脉相连。看来，历史上摆弄织机的织工们，就是早期的程序员呀。

当然了，如今的计算机上已经难以辨认古老织机的身影，具体的技术方法早已在多次迭代中消失不见，但以数据和程序存储实现自动化的思想却得以传承。

超级计算机被誉为计算机界"皇冠上的明珠"、科技突破的"发动机"，是衡量一个国家科技水平和战略能力的重要标志，也是世所公认的大国重器。我国在超级计算机方面已达到国际先进水平。

太厉害了！

灯焰摇摇苦读夜，纺车嗡嗡十年窗。水转大纺车和大花楼织机都承载着中国古代工匠对精益求精的工匠精神的不懈追求，见证了中国古代纺织技术的最高峰。

如今，中国凭借拥有自主芯片的超级计算机，在新的科技领域再次领跑世界。让我们共同期待更快的中国计算速度。

我也想织出漂亮的花布，能实现吗？

当然可以，咱们一起动手做做吧。

实验材料 ┆ 材料包中的简易织布机模切木板 4 及棉线。

实 验 步 骤

第1步

A
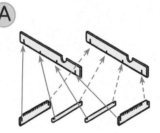

B

C

D
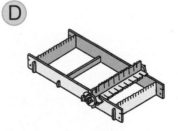

将材料包中的所有零件取下，按照图示步骤
进行拼装，就可以制作一架简易织布机。

第2步 装经线

将经线按照图示装在组装好的框架上。

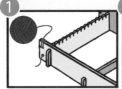
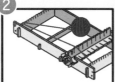
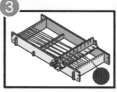
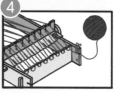

第3步 织布流程

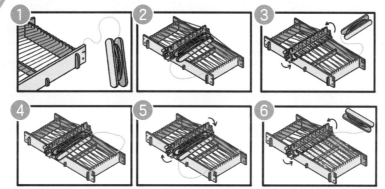

再在梭子上缠上纬线，就可以织布了，快来试一试吧。

原 理 揭 秘

　　框架是整个织布机的支撑结构，用于固定经线。综是织布机中用于分离经线的部件，它通常是一个带有凹槽的木板。当综插入经线之间并旋转时，会将经线分成上、下两层，形成梭子可以穿过的梭口。梭子是携带纬线并在经线间穿梭的部件，可将经纱和纬纱交织在一起形成织物。

4 水往高处流——中国传统汲水工具

中国科学技术馆华夏之光展厅中，游客正在技术创新展区观看各种各样的汲水工具。

让我来！

哇！水真的上来了！

桔槔本质上是一种杠杆。杠杆能绕着固定点即支点转动。

俗话说："水是田家娘，无水秧不长。"我们的祖先发明了桔槔、辘轳、渴乌、翻车、筒车等汲水工具来从低处提水浇地，实现了水往高处流。这些汲水工具可以自下而上提水，有力促进了古代农业的发展。

桔槔

辘轳

渴乌

翻车

筒车

在我被发明出来之前，农民灌溉采用原始的背水法，也就是"抱甀（zhuì）而汲"，即用瓦瓮或陶罐从水源地取水，再抱到农田进行浇灌。

应该给你点赞！看来你问世以后，减轻了农民灌溉的劳动强度，提高了农田的灌溉效率。

科技发展永无止境。给我们一个支点，我的兄弟们就可以让水从低处流到高处。辘轳、渴乌、翻车、筒车等中国古代汲水工具比我更厉害。

我先带你去见识一下辘轳。

砰！

王桢在《农书》中记载了一种复式辘轳：绕在轴筒上的绳子两端各系一个水桶，"顺逆交转，所悬之器虚者下，盈者上，更相上下，次第不辍，见功甚速"。

辘轳原来利用了轮轴原理，实际上是能够连续旋转的杠杆，比你又前进了一步。

单向用力

循环用力

辘轳的特点是将我的单向用力方式改为循环用力，特别适用于从深井中汲水。

后汉书·宦者列传

据《后汉书·宦者列传》记载，东汉中平三年（186年），"十常侍"之一的宦官毕岚："又作翻车渴乌，旋于桥西，用洒南北郊路，以省百姓洒道之费。"这是关于渴乌的最早文字记载。

中国古代农民使用渴乌，连接水源与农田，可以实现跨越高处取水浇地，使灌溉技术又提高了一步。

在日常生活中，我们用一根软管为鱼缸换水和渴乌的原理是一样的。

下面，我带你看一种更高级的汲水工具——翻车。

在我国灌溉史上，翻车是最重要和最普遍的提水器械之一。

由于翻车上一节节的木链条和刮板的形状和人（龙）的脊椎骨非常相似，工作时上下回翻像传说中的龙汲水，所以又被称为"龙骨车"。

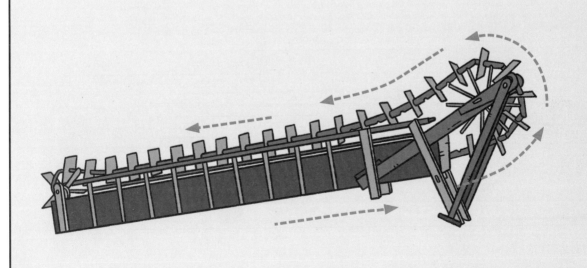

南宋诗人范成大在《夏日田园杂兴》中就形象地描述了翻车："下田戽（hù）水出江流，高垄翻江逆上沟。地势不齐人力尽，丁男长在踏车头。"

这首诗中的"戽水""高垄"描述了田地里农业灌溉的场景，反映了当时翻车已经用于农业生产。"丁男"说明了翻车还需要依靠人力。

人力

畜力

水力

翻车的最初设计是用人力或畜力。后来，又进一步出现了利用水力的"水转翻车"。"水转翻车"利用的是自然界水流的动能，可以让人力和畜力摆脱出来，去干其他的工作。

哇哦！太棒了！

我们再看另外一种汲水工具。它可以利用流水的冲击力作为动力，是一种能够实现自动灌溉的工具，可以昼夜不息地浇灌农田。这种工具就叫筒车。

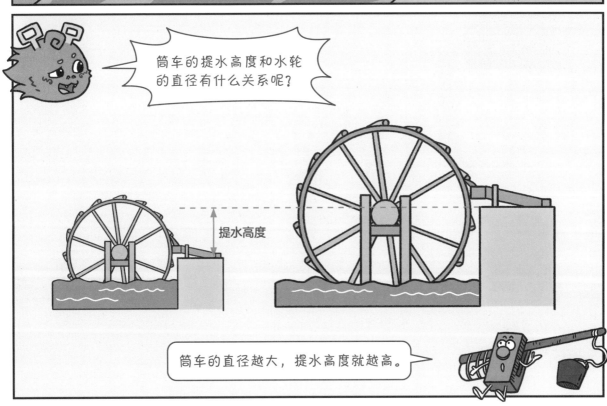

筒车的提水高度和水轮的直径有什么关系呢？

提水高度

筒车的直径越大，提水高度就越高。

北宋诗人李处权在《土贵要予赋水轮》中也记载了筒车："江南水轮不假人，智者创物真大巧。一轮十筒把（yì）且注，循环上下无时了。"

筒车还真是不知疲倦地提水灌溉农田啊！

筒车利用水的势能和轮动原理来带动水轮，轮上布满竹筒或木制的小桶，在水流的冲击下随轮旋转，这些汲水器能将水从低处提升到高处。

在浅井、河滩附近，我们使用桔槔；深井中，我们使用辘轳；池塘中，我们使用翻车；有流水的地方，我们使用筒车。

其实，筒车也有缺点，只适合在有一定流速的河流、溪流的旁边使用，在池塘、湖泊等静水中不能使用。

你还学会辩证地看待问题了！了不起！

　　为了实现"春种一粒粟，秋收万颗子"的愿望，中国古代农民在农业生产中结合实际情况，广泛使用桔槔、辘轳、渴乌、翻车、筒车等灌溉农具，实现了由间歇性汲水技术到持续性汲水技术、由人力灌溉到水力灌溉的突破，达到了水往高处流的目标，在一定程度上改变了"靠天吃饭"的被动局面。

哇哦！桔槔的运作原理真的是太有意思啦！真想自己也做一个！

那就让我们一起来动手做一个简单的桔槔模型吧！

实验材料：瓦楞纸板（事先在纸箱子上裁取圆形）、美工刀、胶水、透明胶带、1节废旧电池、3根小木棍、1根竹签、旋具、1个药瓶、棉线。

实验步骤

第1步

用旋具在小木棍的一端大约1厘米处钻一个洞。需要钻2根小木棍。用旋具在第3根小木棍的一端大约5厘米处钻一个洞。最终我们得到了3根钻有圆孔的小木棍，如下图所示。

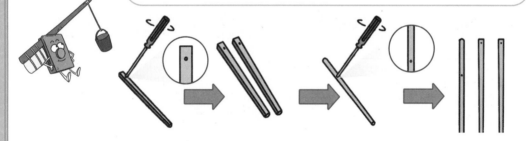

第2步

用美工刀在瓦楞纸上挖出两个方孔。三片瓦楞纸都要挖出方孔。用胶水将这三片瓦楞纸粘在一起。将小木棍和竹签按下图组装并插入方孔内。

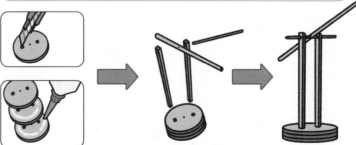

第3步

如下图所示，截取棉线，并固定在药瓶和小木棍上。然后将废旧电池用透明胶带固定在小木棍另一端。最终我们就得到了一个桔槔的模型。

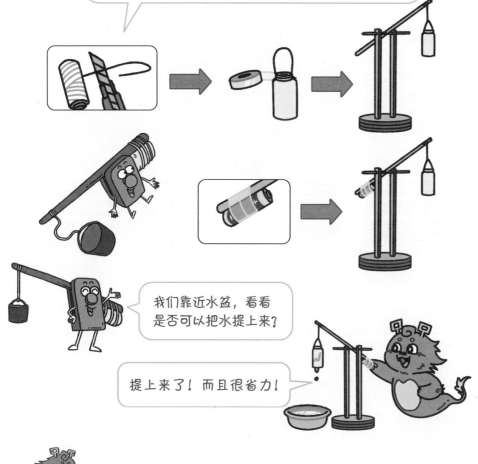

我们靠近水盆，看看是否可以把水提上来？

提上来了！而且很省力！

原 理 揭 秘

　　桔槔是一种水井提水工具。它巧妙地运用了杠杆原理，在一根竖立的架子上加上一根细长的横杆，当中是支点，横杆的一端用一根直杆与汲器相连，另一端绑上或悬上一块重物。汲水时，人用力将直杆与汲器往下压。当汲器汲满水后，由于杠杆末端重力作用，就可将装满水的汲器轻松提起。

哇哦听说省城郊区开发了一个乡村民宿。

"穷乡僻壤"变成了城里人的"诗与远方",农民在本村实现了就业。

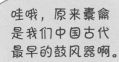

哇哦，原来橐龠是我们中国古代最早的鼓风器啊。

是的，也就是我们风箱的前身。

那橐龠最初是什么模样呢？

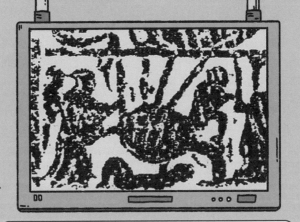

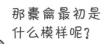

听说山东博物馆里的汉画像石刻中有一幅冶铁图。中国科技史学家王振铎先生根据此图和有关的文献记载，对汉代的橐龠进行了复原。橐龠就是画像石刻中的模样。

原来长这个样子啊，那它是怎么工作的呢？

其实，橐龠的操作很简单。拉开皮橐，空气通过进气阀进入橐中；压缩皮橐，橐内空气通过排气阀而进入输风管，再进入冶炼炉中。

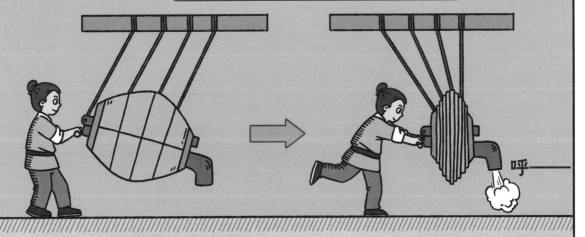

呼————

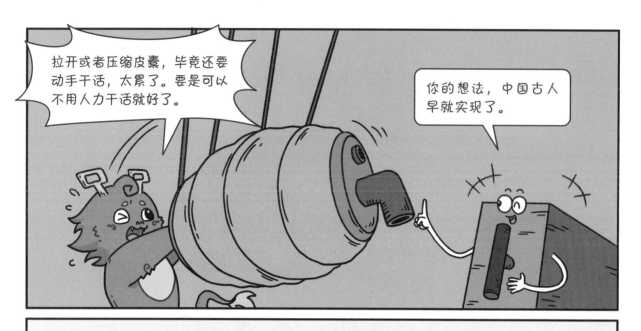

中国古人成功用水力代替了人力。水力驱动的橐又称为水排或鼓风水排，是我国古代一种水力鼓风装置。《后汉书》中就记载了南阳太守杜诗发明水力驱动的橐的事情，并评价它"用力少而建功多，百姓便之"。

这样确实就省力多啦！不过，用牛皮或马皮制成皮囊，好像有点儿残忍。能不能用其他材料替代呢？

我们可以用木料制作的风箱替代皮囊。木扇风箱大约出现在宋代，到元代时就完全代替了橐龠。

元代农学家王桢所著的《农书》中，绘有用水力推动的木扇风箱。根据水轮放置方式的不同，王桢将水轮装置分成立轮式和卧轮式两种。

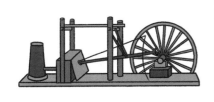

立轮式

卧轮式

王桢

？

木扇风箱还有什么优点？

"给我一个支点，我就可以撬起地球"，这句话夸张地说出了杠杆的作用。其实，木扇的推拉杆位于扇板下方，而木扇内气体压力等效作用点在中间，因此推拉杆就起到了杠杆的作用，让木扇更容易产生高风压。

看起来，用木扇风箱代替皮囊，取材、制作和鼓风方式都更加方便了。

是呀，不过中国古人并没有停止技术创新，后来，又发明了活塞式风箱。活塞式风箱可以实现往返连续鼓风，风压大、效果好，是古代鼓风技术上的重大进步。

活塞式风箱

太棒啦！我想看看活塞式风箱！中国古代流传下来的石刻或者图画中有它的模样吗？

当然有啦！南宋时期（约1280年）刊刻的《演禽斗数三世相书》中有一幅打铁图。图中两人正在打铁，冶炼炉中燃着火焰，炉旁就有一个活塞式风箱。

原来是这个样子！那活塞式风箱是什么时候取代了木扇风箱的呢？

天工开物

大约到了明代，活塞式风箱已经取代了木扇风箱。明代科学家宋应星在《天工开物》中绘有许多风箱图。

清明上河图

作为小馋猫，我原来以为风箱只是用于烧火做饭呢，原来提高炼铁的温度也离不开风箱。

那是当然！明代绘画大师仇（qiú）英也画了一幅《清明上河图》。你看，画中有一个铁匠铺，里面有三名男子在挥锤打铁。

在他们后面是一个炉子，炉子旁有一名男子正在推拉活塞式风箱，上面的活门都能很清楚地看到呢。

活门？什么是活门呀？

想知道什么是活门，那就要来看看风箱的结构啦。

风箱由箱体、手柄及与手柄相连的薄木板和活门组成，风箱下端有出风口。当向外拉动手柄的时候，风箱背后的活门打开，吸进空气并从风箱的出风口吹出；当向内推动手柄的时候，风箱前部的活门打开，吸进空气并从风箱的出风口吹出。不同用途的风箱，其进气或出气的活门数量也不相同。

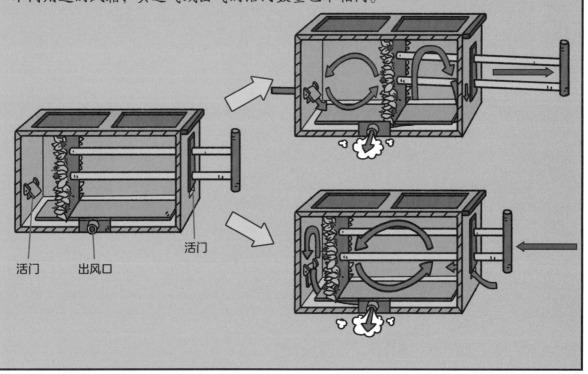

活门　　出风口　　　　　活门

我知道啦！如此来回推拉，驱动薄木板往复运动，使活门一启一闭，就可以不断地给炉灶鼓风啦。

你学习能力真强！

活塞式风箱是我国古代鼓风技术的最高成就，活塞器件的往复运动，提供了连续的风力，大大提高了工作效率，对冶炼技术的发展起到了关键作用。从技术角度看，活塞式风箱便于制作，使用鸡毛就可以实现活塞的封闭功能。

呼

我常常听人说"风箱里的老鼠，两头受气"，这跟风箱有什么关系呀？

老鼠天生爱钻洞，可能误以为风箱的活门就是洞口，一调皮就钻了进去。老鼠哪里知道，风箱的这种结构特性，钻进去容易，想钻出来就难了。

哈哈，真有意思。

是的。关于风箱的歇后语，还有很多呢。比如，"打铁铺的风箱——不拉不开窍""灶旁的风箱——煽风点火"。

我还听说，外国人发明的蒸汽机和风箱有关？

嗯，英国科技史专家李约瑟有一个著名的论断：蒸汽机＝水排＋风箱。他想用这个公式说明，如果没有中国古代技术成就，蒸汽机是难以发明的。

 水排

 风箱

 蒸汽机

 李约瑟

听到村子里不时响起的"呱嗒呱嗒"声，看到徐徐升起的缕缕炊烟，闻到香喷喷的饭菜味，这是村民们在用风箱做饭呢，你想不想和我一起制作一个风箱呢？

扫码观看科学实验
手工指导课

当然想啦！我们开始吧！

实验材料 | 材料包中的风箱模切木板5。

将材料包中的所有零件取下，按照以下步骤进行拼装，就可以制作一个简易风箱。

 实 验 步 骤

第1步

首先组装拉杆和挡风板。再将拉杆、侧板和前后板组装起来。接着将其固定在底板上，并固定挡风隔板和出风舌头。

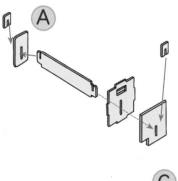

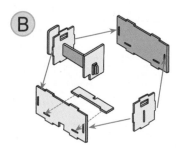

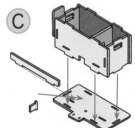

 第2步

然后在左、右侧板固定吊搭板，最后安装风闸嘴和顶板。

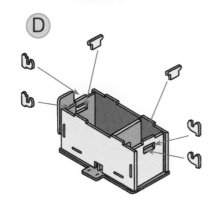

D

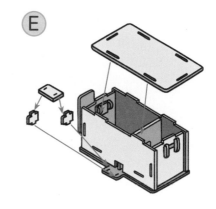

E

 第3步

这样，我们的风箱就组装好了！

哇哦，我学会了！

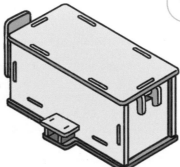

原 理 揭 秘

　　在一个长方体的箱子里，箱子的两边各有一个进气口，进气口上有一个小隔板用来控制进气口的关闭和打开。当拉动中间的隔板时，空气从另一端进来，同时这边隔板挤压空气，把空气从出气口排出去；当推动中间的隔板时，也是相同的道理。所以在拉动和推动隔板时，都会有空气流出。

图书在版编目（CIP）数据

机械与制造 / 王洪鹏著；牛猫小分队绘. -- 大连：大连理工大学出版社，2024. 10. --（哇哦！中国古代科技了不起）. -- ISBN 978-7-5685-5174-8

I. TH-49

中国国家版本馆 CIP 数据核字第 20243MJ405 号

机械与制造 JIXIE YU ZHIZAO

出版人 苏克治　　策划编辑 苏克治　逄东敏

责任编辑 陈　玫　邵　青　　责任校对 董歆菲

责任印刷 王　辉　　封面设计 丫丫书装　张亚群

美术指导 苏岚岚　　漫画主创 苏岚岚　赏　鉴　吕箐莹　虞天成

版式设计 牛猫小分队　　漫画助理 冯逸芸　陈天宇

设计执行 郭童羽

出版发行 大连理工大学出版社

地　址 大连市软件园路 80 号　　邮政编码 116023

邮　箱 dutp@dutp.cn　　电　话 0411-84708842（发行）

网　址 http://dutp.dlut.edu.cn　　0411-84708943（邮购）

印　刷 大连天骄彩色印刷有限公司

幅面尺寸 185mm×260mm　　印　张 5　　字　数 132 千字

版　次 2024 年 10 月第 1 版　　印　次 2024 年 10 月第 1 次印刷

书　号 ISBN 978-7-5685-5174-8　　定　价 66.00 元